은하의 견생호수

은하의 견생호수

발 행 | 2023년 12월 18일
저 자 | 하루하루
펴낸이 | 한건희
펴낸곳 | 주식회사 부크크
출판사등록 | 2014.07.15(제2014-16호)
주 소 | 서울특별시 금천구 가산디지털1로 119 SK트윈타워 A동 305호
전 화 | 1670-8316
이메일 | info@bookk.co.kr

ISBN | 979-11-410-6052-7

www.bookk.co.kr

은하의
견생호수

하루하루 지음

목차

작가의 말

편식쟁이지만 귀여운 하루에게 이 책을 바칩니다.

은

하

은하수의 의미와 함께.

태어난 곳

내가 태어났을 때, 나는 박스 위에 놓여져 있었다.

그래도 온기는 남아 있었다. 나는 어미와 형제들과 함께였으니까. 그 뒤로는 별로 생각나지 않는다. 다만 내가 처음으로 눈을 떴을 때 본 엄마의 모습, 형제들의 모습은 잊을 수가 없다. 그리고 초라했지만 우리는 박스라는 집에서 살았다. 딱히 나쁘지 않았다.

엄마는 종종 우리에게 옛 이야기를 들려주었다. 어느 날, 엄마는 자신의 과거를 이야기 해 주었다

"엄만… 주인이 있었단다. 허나 내가 너희들을 임신하면서 나를 박스에다 버렸어. 돈 아깝다고. 차라리 잘 된 일이야. 그 동안 그 집에서 살면서 무척 힘들었거든. 아가들아, 너희들은 인간들에게 입양 당하지 말아라. 그들은 마음대로 우리 가족을 따로 입양 보낼거란다. 억지로. 입양 되도 버리는 건 순식간이야. 그리고 중성화라는 수술도 시키지. 우리 번식을 막는 거야."

그때 결심했다. 나는 절대로 인간과 친구가 되지 말아야겠다고. 그리고 버림받지 말아야겠다고.

비가 많이 오는 날이었다. 그때는 엄마의 젖을 먹지 않았다. 그래서 엄마는 먹이를 구하러 다녔다.

그 일이 터졌다. 엄마는 웃고 있었다.

"아가!"

그 순간이었다.

"부아아아앙"

트럭 한대가 시야를 가렸다. 그리고 지나갔다. 그리고 엄마는 사라졌다.

"엄…마?"

언니가 소리쳤다.

"엄마아아!"

동생도, 오빠도, 언니도, 나도, 모두가 칭얼거렸다.

우리는 한 발자국씩 앞으로 나아갔다.

"어어?"

누렁이 언니가 당황한 듯 목소리를 높였다.

"엄마? 엄마! 엄마아…!"

엄마가 보였다. 바닥에 누워있는 채 눈을 감고 있었다.

그때 느꼈다. 엄만 죽었구나. 눈물이 났다. 모두 알았다. 엄마는 이제 없다는 것을.

"엄마아… 엄마아!"

우리는 비를 맞으며 있는 힘껏 낑낑거렸다.

"… 아이고. 죽었구먼. 쯧쯧. 어떤 놈이 죽였을까…"

한 노인이 혀를 쯧쯧 차고는 들고 있던 물체를 우리 위에 올려 주었다. 순식간에 비가 멈추었다. 신기했다. 하지만 그 노인은 우리를 버리고 그냥 가 버렸다. 점박이 오빠가 한발 한발 그 물체에서 나가며 엄마에게로 다가갔다.

"할짝."

오빠는 엄마의 털을 핥기 시작했다. 나도 똑같이 따라 했다. 그때였다.

"어머, 어머! 너어무 불쌍하다! 어쩜, 새끼들도 있는 것 같은데?"

참견을 많이 할 것 같은 아주머니가 가방에서 휴대폰을 꺼내 귀에다 갖다 두었다.

"여보세요? 아, 다름이 아니라 여기 어딘지 아시죠? 누렁이 한 마리가 차에 치여서 죽은 것 같고 새끼가 7 마리 있어요. 네, 네. 빨리 와주세요. 네~."

… 큰일 난 것 같았다. 인간. 인간. 인간. 인간이었다. 노인은 괜찮았다. 하지만… 이 인간은 엄마가 말했던 그 가족 사이를 해치는 자 같았다. 이대로 가족들과 더 헤어질 수는 없었다.

"앗! 어쩌지?!"

내가 뛰쳐나가자 나머지도 따라왔다. 그러자 그 아줌마는 기겁을
하며 우리를 쫓아왔다.

"얘! 기다려!"

우리는 더욱 빠르게 달렸다. 뒤에서 어렴풋이 말소리가 들렸다.

"빨리, 빨리 와주세요! 어머! 도망갔어요, 갑자기!"

휴대폰 너머로 소리침이 들렸다.

"안 잡고 있고 뭐 한 거에요!"

"끼이이잉.."

우리는 차가운 수풀 위에서 누웠다.

"언니이.. 우리 어떡해…?"

점박이가 물었다.

"몰라. 몰라.. 모르겠어."

내 칭얼거림에 점박이가 나를 꼬옥 안았다.

"무서워.."

"나도."

"…………"

정적이 흘렀다.

"저기! 저기에요!"

그 순간, 잊고 있던 목소리가 들렸다. 인간.

"옳지! 아구! 잡혔다."

방심한 틈타, 누렁이 언니가 잡혔다.

“끼잉! 으아앙! 오빠아! 점박아아아!”

언니가 울부짖었다.

“언니!”

내가 소리치자, 어떤 글씨가 써있는 옷을 입은 사람이 망 같은 걸로 점박이를 잡았다.

“누나..? 형아..! 엄마!”

우리는 모두 울었다 그 인간들은 이렇게 생각했겠지.

‘이게 다 너희를 위한 거야.’

‘우리는 너희의 가족을 찾아 줄 거야.’

그런 생각을 하는 사이, 나도 잡혔다. 눈물이 새어 나왔다.

“..........”

그 인간 놈들은, 우리가 낑낑거리는 줄 알았겠지. 그러면서 말했을 거다.

“괜찮아. 괜찮아. 옳지. 아이고 착하네.”

그들은 나를 철창에다 넣었다. 그리고는 트럭에다 실었다. 이렇게 헤어지는 것이었다.

사람들은 원래 그래. 남의 의견은 생각도 않고, 자기들이 옳다고 해. 하지만… 우리가 그때 원한 건, 헤어짐이 아니었는데. 우리가 원한 것은.. ‘서로’ 였는데.

유기견 센터

"끼이이익."

덜컹거리는 소리가 들렸다. 갑자기 한 여자가 나를 어둠 속에서
꺼내 주었다.

"어서 와."

그 여자가 속삭였다. 그리고는 나를 번쩍 들었다. 아무래도 형제
들과 갈라진 것 같았다.

"눈이 똘망똘망 별같네? 이제 네 이름은 은하수, 은하수의 은하,
야."

그때부터 나는 은하라고 불렸다.

어찌 됐든 그날, 나는 개들이 많은 커다란 방에 갇혔다.

"은하야, 이 아이는 우정이, 얘는 하늘이, 얘는 하나야. 친하게 지
내."

아주머니가 날 쓰다듬으며 말했다. 나는 그제야 아이들을 보기
시작했다. 모두 나보다 컸다.

"안.. 녕, 하세요?"

내가 나직이 말했다.

"후후, 귀여운 점박이네? 안녕? 내 이름은 하나야."

"네에.."

"말 편하게 써."

"우-우-웅.."

하나 언니는 착했다. 우정이 오빠도.

"안녕. 난 우정이야. 3 살이고 나한테도 말 편하게 써."

"으-응."

다만.. 하늘이는 그렇지 않았다.

"하늘이야. 그리고 존대해라. 나 8 개월이야. 넌? 나보다 덩치도 작은데?"

"4.. 개월이요."

내가 떨자 하나 언니가 하늘이 오빠에게 으르렁 댔다.

"이놈이, 난 2 살이야! 넌 존대한적은 있냐? 은하야, 이 자식한테 반말 써라."

"아잇, 니가 뭘 알아! 알았어. 이름 부르게 해줄게. '요'는 말 끝마다 붙여."

하늘이는 하나 언니에게 맞다가 결국 항복했다.

"네요."

"멍청한 자식."

하늘이가 중얼거렸다.

16

"야, 이 사람들은 누구야?"

내가 물어보자 하늘이는 정색을 했다.

"내가 어떻게 알아?"

"응 알겠어 하늘아."

"아니 존대는…"

"어, 은하야. 이 사람들은 우리들 중 한 마리를 입양하러 온 자들이야. 너를 데리고 갈 수도 있지."

"엄마가 말했던…"

내가 중얼거렸고 하늘이는 투덜거렸다.

"언니 보고 싶다. 오빠도. 동생도."

내가 칭얼거리자 하나 언니는 그럴 줄 알았다는 표정을 지었다.

"사연이 있나 보지?"

".... 네. 엄마는 트럭에 치여서 돌아가셨고.. 우리들은 잡혔어요. 그리고.. 갈라졌어요."

".. 다른 방에 있을 거야."

"네?"

"옆방 중에. 같은 시간에 잡힌 거라면. 너도... 사연이 있었구나. 당연한 거지만…. 난, 엄마가 있는 개였어. 주인도 있었고. 근데 엄마가 죽자 모두 멍하게 행동했어. 그래서 빠져 나왔고 그러다 잡혀서 여기까지 온 거야."

놀라운 사실을 듣게 되었다.

"난, 애초에 떠돌이였어. 그러다 구조 받은 거고."

우정이 오빠도 말해주었다. 이제 한 마리 남았다. 하늘이.

"........"

"말해라. 우리도 들었잖아."

"학대 받았어. 전 주인은 술에 취해 나를 때리고 다녔어. 그때 누군가의 신고로 구조 받은 거고. 몇 달째 입양되지 않았지만."

눈물이 흘러나왔다. 어차피 개들은 똑같구나.

자칭 '주인'

며칠 사이 수많은 사람들이 우리 울타리 앞을 지났다.

"이 아이 이쁘네요."

아저씨가 웃으며 하늘이를 가리켰다.

"이 아이로 할까요?"

아줌마는 하늘이를 들어올렸다. 그리고는 방에 들어갔다.

"....?"

나는 당황한 표정을 지었다. 그러자 하나 언니가 싱긋 웃었다. 약간 쓸쓸해 보이는.. 그런 희미한 웃음.

"잘 가, 은하야. 또 보자."

"응..?"

내가 묻는 순간 내 몸이 붕 떴다.

"으악!"

"어휴, 낑낑 거리네. 아줌마, 얘 이름 뭐에요?"

심술궂은 여자의 목소리가 들렸다.

"네, 은하에요."

"칫, 이름이 뭐 그래요? 촌스럽게. 데리고 갈게요. 몇 살이죠?"

"그런 식으로 생각하면 입양 못 보냅니다."

"아휴, 미안해요. 이 애로 할게요."

"네. 입양 절차 안내해드리겠습니다. 이쪽으로 와주세요."

나는 그 여자에게 붙잡혔다.

'싫어. 난 또 갈라지기 싫어. 이대로 있고 싶단 말이야!'

마음속으로 수백 번 중얼거렸다.

몇 시간 뒤, 나는 그 아가씨 차에 타게 되었다. 어찌나 거칠게 운전하는지, 속이 좋지 않았다.

"읍.."

토를 해버렸다. 사료 냄새에 여자가 눈을 찌푸렸다.

"아잇! 더럽게 토를 하고 그래? 짜증나게."

그때 느꼈다. 이번 주인… 이번 집… 망했다.

또 다시

그로부터, 1 달 반이 흘렀다. 그 여자와 함께 한지. 첫날은 그리 유쾌하지 못했다. 멀미.. 가 나서 한 짓 때문에. 그래도 그 여자, 잘 사는 집 같았다. 나름 잘 돌보아 주었다. 산책도 하고, 밥도 먹고, 가끔은 놀아주고. 그렇지만.. 행복은 그리 오래 가지 않았다.

그 -전화통화- 때문이었다.

"어, 민아야. 인스타 있잖아, 나 팔로워 15 만명 됨. 대박 아니야? 유기견 입양해서 팔로워 늘렸지 뭐. 안 키우지. 어느 정도 늘면 뭐 죽었다는 둥 버리거나 딴 곳에 맡겨야지. 에, 녹음 중? 야, 지워라. 야!"

그 여자는 화를 내더니 폰을 바닥에 던졌다.

"아, 미친! 오민아 짜증나. 버려 그냥!"

나는 충격에 휩싸였다. 나는 그저 이미지 관리를 위한 '종이인형'일 뿐이었다.

한동안 한 여자가 우리 집에 방문을 했다.

"아, 아직 있네?"

"야, 오민아! 작작 좀 찾아 와!"
대화는 늘 이런 식으로 흘렀다.

"가 버려! 다신 오지마."
여자가 그 말을 하고 며칠 뒤, 나는 버려졌다. 아무도 없는 음침한 골목에.
"잘 있어, 은하야. 오민아, 가지가지 하네. 매일 찾아와 너 있는지 확인하고."

버려진 거였다. 또, 길거리 생활이 시작되었다.
며칠 동안은, 무서웠다. 내가 왜, 버려졌지? 괜히 그 인간, 좋아했나 봐. 이런 생각들을 하며 지냈다. 그리고, 한달 간 길거리에서 힘들게 지냈다. 배도 고팠다. 지옥 같은 모기들과 진드기 때문에 괴롭기도 했다. 왼쪽 다리도 다쳤다. 그렇게 지내면서 나는 점점 쇠약해졌다. 그날은, 무척 더운 날이었다. 힘없이 걷고 있었는데, 그랬었는데.. 찢어질듯한 소음이 울려 퍼졌다. 뒤를 돌아보자, 네 명의 사람들이 나를 보며 달려오고 있었다.

"여기다-!"

포획과 입양

"여기다-!"

어떤 여자가 소리질렀다.

".. 아줌마?"

내가 물었다. 저 사람.. 저번에 본적이 있는데? 기억이 났다.

'맞다! 은하라는 이름 지어준 아줌마!'

나는 꼬리를 살랑거리며 절뚝-절뚝 아줌마에게 다가갔다.

"보고 싶었어, 아줌마!"

아줌마는 놀란 눈치였다.

"은하? 은하네? 너 왜 여깄어? 입양 갔잖아! 집 나온 거야?"

그러자 그 옆에 있던 여자가 말했다.

"얘 버렸다고요. 쓰레기네, 신채아. 법원에 넘길 거에요. 신채아는 끝났어요. 팔로워 늘리려 입양? 더러워. 내 친군데도 역겹네. 아, 걔 집 갔더니 뭐라 한 줄 알아요? 믹스견 따위는 버렸고, 나는 누명이라 하면 끝이라고 했어요. 평소에도 더럽게 행동하더니."

아줌마는 인상을 구기며 나를 쓰다듬었다.

"오민아.. 씨?"

"신고 넣을게요."

아줌마는 나지막이 고개를 끄덕이고는 나를 끌어 안았다.

"많이 다쳤네, 우리 은하. 진드기도 많네, 여름이라. 저, 윤은서
팀장님? 병원 먼저 데려가야 할 것 같아요."

"네. 은하야, 이리 와. 케이지로. 옳지, 옳지."

나는 그 케이지에 들어갔다.

덜컥, 덜컥.

문이 열리고 흰 옷을 입은 남자와 여자가 보였다.

"은하죠? 나이는 6 개월 정도 같아요. 일단 정밀검사 할게요. 어
머, 진드기가 왜 이렇게 많아? 한두 달은 있었겠는데? 다리도..
조금 까졌네. 넘어졌나? 아, 죄송합니다. 밖에서 기다려주세요."

두 명은 내게 이상한 짓들을 했다. 핀셋으로 벌레들을 떼어내고,
바늘로 피를 뽑아내고, 나를 침대에 눕힌 뒤 이상한 기계로 나를
찍었다. 방안에서 쉬고 있었을 때였다.

"네, 검사 결과 나왔어요. 딱히 큰 문제는 없지만 다리에 찰과상
을 입었고, 영양실조가 조금 진행되고 있어요. 다행히 심장사상충은
아니고요. 약 처방 해드릴 테니까 발라주고 밥도 잘 먹이세요. 자세
한 건 좀 있다 안내 드릴게…"

그걸 마지막으로 나는 눈을 감았다.

눈을 떴을 때, 나는 방에 있었다.

"또 보네~ 보고 싶었어~"

익숙한 소리가 들렸다.

"하나.. 언니?"

"헤, 기억하네? 근데, 왜 돌아왔어? 버려진 거니? 하늘이도.. 돌아왔어. 다행히 우정 오빠는 입양 됐고."

"다행이네요. 저는.. 버려졌어요."

나는 머뭇거렸다. 근데.. 하늘이도 돌아왔다고?

"나란 아줌마가 말했는데, 네 입양 자는 고소 당했대.. 하늘이는 하도 사고를 쳐서 돌아왔어. 그것도 하루 만에. 쯧, 걔도 참 문제지."

"어디 있는데요?"

"저어기, 구석."

언니 말대로 솜뭉치가 구석에 누워있었다. 달려가 쿡쿡 찔렀다.

"아, 누구야? 응? 은수네?"

"은하거든."

"아, 맞다. 넌 왜 돌아왔냐?"

"몰라."

재미없었다. 뒤를 돌아보고 총총 문 앞으로 달려가서 짖었다.

"왈!"

그러자 아줌마의 목소리가 들렸다.

"네, 이쪽이에요. 잘 돌봐주세요. 얼마 전에 버려졌고.. 다치기도 해서."

"네. 참, 하늘이 말이에요."
"네?"
"하늘이랑 하나도 입양 가능하나요?"
"셋을 한번에요?"
"외로우니까~ 나 돈 많고 케어 잘 할 수 있어요."
".........네."

인간은 원래 그런가봐

우리 셋은 같은 집에 입양 됐다.

"언니.. 뭔가.. 좀.. 그런데?"

나는 우물쭈물 거리며 하나 언니를 쳐다보았다.

"왜?"

".. 한번에 우리 셋 데리고 온 거.. 뭔가.. 금방.. 그.."

"버릴 것 같다고? 에이, 안 그러겠지~ 인간들이 다 그런 건 아니야. 우정 오빠도 잘 입양 갔잖아?"

"하지만.. 저것 봐."

할머니께서는 장난감으로 놀아주는 방법조차 모르셨다.

우리의 배설물을 치우는 방법도 모른 채 발만 동동 구르고 있었다.

"아무래도 늙은이한테 어려워서요. 난 못 키워요."

그 말은 정확히 입양된 지 이틀 후에 들은 것이다.

"말했잖아, 언니. 버려진다고."

나의 투덜거림에 하나 언니는 허공을 째려보며 눈물을 흘렸다.

"그래.. 인간들은, 원래 그런가 봐."

나는 언니의 눈가를 핥아주었다.

"나만 왜, 괜찮지? 난 상관 없는데."

나는 갸우뚱거리며 물었다.

"넌 몰라서 그래. 좋은 인간도 많다고. 근데 왜 난 항상 이럴까? 나쁜 놈들만 만날까? 난 착하다고. 왜 성격 나쁜 애들은 좋은 주인 만나는데! 나도 가족이 생기고 싶다고. 진짜 가족. 넌 모르겠지, 애초에 가족 없이 태어났잖아. 우리 둘은 태어났을 때부터 인간 집에서 살았어. 넌, 그깟 박스에서 태어났잖아?"

"......"

"하늘이 말이 맞아. 너만 너무 신나 보여. 눈치 좀 챙겨. 우린 가족이 있었어. 그래서 우린 사람이 좋아. 넌 아니잖아."

나는 흥, 하고 콧방귀를 꼈다.

"풋, 그렇게 학대당하고 버려졌으면서 이러는 거야? 어이없어. 그렇게 해코지 당했는데 왜 변호하냐고. 어? 이유가 있겠지. 어쩔 수 없는 이유. 왜, 사람 없이는 못 사는 겁쟁이야?"

"… 은하야? 언니, 참아보려 했는데 못하겠다. 너가 사람에 대해 아는 게 있기는 해? 나란이 아줌마도 착하잖아. 그래, 해코지 당했어. 버림도 당했고. 근데 겁쟁이는 아니야. 그저, 믿어주는 거야. 다음에 만나는 사람은 착하겠지, 하는 거라고. 말을 왜 그렇게 해?"

나는 으르렁대기 시작했다.

"언니가 먼저 시작했잖아. 아니, 하늘이, 너가. 왜, 설명해 주지 그랬어? 인간이 좋다는 걸. 왜 다짜고짜 화부터 내냐고. 니 처지는 안 궁금해. 누가 궁금하대? 나는 인간에게서 벗어나서 기뻐한 게 아니었어. 아니, 아무 감정도 안 들었어. 왜 나만 그럴까, 궁금했을 뿐. 너가 오해 했으면서, 왜, 갑자기 박스 이야기를 꺼내? 이게, 난 마음이 아프거든? 엄마 생각 나거든. 아, 넌 모르지? 엄마가 어떻게 죽었는지. 엄마가 그 박스 구한 거야. 근데, 뭐? 그깟 박스? 그래, 우리 엄마, 그깟 박스 구해주는 엄마구나? 너, 실수한 거야. 그리고, 언니. 언니라고 부르기도 싫네. 너, 남의 의견도 생각하라며. 근데, 너희, 왜 내 기분은 생각하지도 않고 화내? 진짜.. 박스 이야기는 좀 아니잖아. 가족이 있었다고? 나는 가족 없이 태어났다고? 미쳤어, 니네? 너희 같은 놈들에게는 인간만이 가족인가 봐. 니네 엄마는 가족 아니냐 그럼? 나는 너희와 다르게 진짜 가족이 있었어. 근데, 사람들이 다 갈라 놓았다고! 교통사고 내고, 다 포획하고. 그래서 사람 싫어. 헤어지게 해 왔잖아. 동물들 괴롭혔 잖아. 길거리에서 마음대로 못살고, 원하는 거 못 먹게 하고, 산책 해도 딴 개 못 만나게 하고, 부모 못 되게 하고. 내 인생을 망쳤다 고. 그래서 사람이 싫은 거야. 내 생각도 좀 해주라, 제발."

모두 침묵을 유지했다. 그때였다.

"싫어."

"...?"

하나 언니가 내 목덜미를 물었다.

"응?"

하늘이가 놀란 목소리를 냈다.

"아니, 뭐해! 미쳤어?"

고개를 돌렸다. 화난 언니의 눈이, 너무 잘 보였다. 나는 언니의 옆구리를 콱, 온 힘을 다해 물었다.

"왜.. 이렇게 변한 거야.."

나는 한숨을 쉬며 언니를 밟았다.

"기억해. 언니가 먼저 시작한 일이라는 걸."

나는 예쁜 미소를 지었다. 그리고 언니를 발로 걷어찼다.

"아, 왜 그래? 은하야! 아니 하나 누나?"

"하늘아? 미안한데 꺼져줄래?"

난리가 났다. 그 시끄러운 소리에 옆방 개들이 짖기 시작했다.

"야, 싸움 났다!"

"하나 언니?

"은하가 시작했겠지."

"진짜?"

"나쁘다. 쯧, 박스에서 태어났잖아. 그래서 인성이 저러겠지."

이런 말들이 들렸다.

"야! 그만!"

나란 아줌마는 어느새 우리 둘을 막았다. 그제야 보였다. 두려워 보이는 하늘이, 걱정돼 보이는 나란 아줌마. 난 습관적으로 아줌마를 물었다.

"씨이.. 왜 나한테만 그래!"

나는 성큼성큼 하늘이에게로 다가갔다. 그리고 물었다.

"니들이 먼저 시작했다고 말하라고…!"

그렇게 우리는 분리되었다.

'역시 믿을 수가 없네.'

나는 개껌을 씹으며 중얼거렸다.

성장

그렇게 분리된 지도 어언 3달. 나는 태어난지 9개월이 되었다. 나이가 들어 입양자는 나타나지 않았다. -나타나기는 했지- 바로 버려졌지만. 그치만, 점점 익숙해져 버렸다. 파양 당하는 것이, 왠지, 그저, 일상 같았다.

"은하야~ 드디어 네 입양자가 나타났어!"

나란 아줌마의 들뜬 목소리를, 나는 시큰둥하게 받아들였다.

"어차피 버려질 건데, 뭐."

아줌마는 내 마음을 읽었다는 듯 말했다.

"아니, 이번엔 달라. 이미 개를 키우고 있고, 돈도 있고, 집도 마당이 있어. 다행이다, 은하야!"

나는 한숨을 쉬었다.

"저번에도 그랬으면서…"

새로운 입양자는 20~30 대 남성이었다. 키우고 있던 개는 은별이라는 골든 리트리버였다.

"오~ 니가 은하니? 이쁘장하네~ 얘는 은별. 자, 인사해라. 옳지. 잘 지내자."

난 그 남자의 인사를 무시했다.

아니나 다를까, 두달 뒤 버려졌다. 뭐, 역대급 오래 키우셨다. 이유는 내가 큰 사고를 쳤기 때문이다. 아니, 내가 아니다. 은별이다. 그 남자는 내가 잡종견이라는 이유로 나만을 의심했다.

"야! 뒤집어 씌우지 마. 네가 했지? 은별인 안 그래. 품종이 있다고. 나참, 잡종이 명품을 부시고 난리야."

그때 은별이는 씨익, 미소를 짓고 있었다. 너무 얄미웠다. 그것 말고도 은별이는 많은 사고를 일으켰고, 항상 나만 의심받고 혼났다.

결국.

나는 도로에 버려졌다. 짜증나는 목줄을 나무에 걸어놓고 그 남자는 도망쳤다. 차에 있던 은별이는 내게 슬픈 표정을 지었다.

'너가 있었다면 주인 더 괴롭힐 수 있는데..'

인간들은 뭘 모른다. 버릴거면 목줄이나 빼고 버리지. 목줄이 있으면 곧 죽는다. 벗어나면 되지만 못 벗어나면 돌아다니고 식량을 구하지 못해 굶어 죽는다. 다행이 나는 목줄을 이빨로 쉽게 끊을 수 있었다.

'칫, 성가시게.'

나는 자연스럽게 떠돌이 생활을 이어나갔다.

떠돌이 생활은 익숙했다. 원래부터, 그랬으니까. 음식물 쓰레기를
뒤지고, 가끔은 사람들에게 얻어먹고, 그렇게 배를 채웠다. 잠자리
는 그냥 나무 밑이었고, 가끔은.. 엄마를 추억하며 박스를 찾아 다
녔다. 그깟 박스. 지금 생각해도 그 둘은 정말 너무했다. 그래서
나는 항상 그 둘을 증오하며 생활했다.

'내가, 이렇게 된 건.. 이런 신세가 된 건. 다, 그 둘 때문이야.'

얼마 뒤, 드디어 성견이 되고 후였다.

"..안녕. 오랜만이네. 그때.. 이후로."

익숙하지만, 듣기 싫은 목소리였다. 나는 코웃음을 쳤다. 그리고
비웃는 표정을 지었다.

"..언니네. 죽은 줄만 알았는데, 용케 살아있었네."

만남

"넌.. 만나자 마자 그렇게 말하니? 너무하다. 그렇게 생각 안했는데.."

나는 언니를 노려봤다.

"뭐? 나 참, 웃기네."

언니는 얼굴을 슥 돌렸다.

"그게.. 있잖아.."

언니의 말을 끊었다. 그리고 최대한 빈정 상하는 말투로 말을 하기 시작했다.

"그래, 미안하다고? 사과하고 싶다고? 해봐, 해 보라고. 난 어차피 그때 아무 타격도 안 받았어. 내가 언니인줄 알아? 언니처럼 슬퍼서 빌빌 안 거려. 그리고 사과 해 봤자 안 받아. 내가 왜 언니랑 다시 친해져야 하는지, 너무너무 궁금하대?"

언니는 나를 슥, 훑어 보았다.

".. 그래. 네가 맞아. 미안해. 그때 나, 흥분했나 봐. 분리되고 후회 됐는데, 만날 일이 없더라. 그러다 니가 입양 간다는 소식을 들었어. 너 버려질 거 알고 나도 사고 쳐서 버려졌어. 몇 주 동안 네 냄새를 찾아 다녔고. 이렇게 힘들게 널 찾았어. 내 사과를 받아 줄래?"

"언니한테 사과는, 이딴 식으로 짜증나게, 기분 상하게 하는 거야? 멋지다. 그건 그렇구요, 왜 짜증난다는 듯 훑어보는 거야? 그것도 기분 나쁘네. 이용하려? 아이구, 그랬어요? 근데 이를 어째? 난 언니 같은 하등 생물 따위를 용서해주고 싶지 않은데? 그니까 정말 미안하지만 내 눈 앞에서 꺼져버려. 사라지라고. 기분 더러우니까."

언니는 나를 원망하는 눈으로 지그시 쳐다봤다. 터벅터벅, 언니는 나를 떠났다. 그때는 몰랐다. 그게 언니와의 마지막이었을 줄은.

"몰랐니? 쯧. 죽었어 옛날에."

"예?"

"그 검둥이 말하는 거제? 점박이 한 마리 찾는다고 돌아 댕기다가 죽은 거지, 뭐. 떠돌이니 명도 짧고. 아, 난 8 살. 떠돌이는 아닌데 그냥 풀어놓은 개."

"죽었다고..? 나 찾다가?"

감사 인사를 하며 박스로 돌아갔다. 두려웠다.

'내가 그때 그렇게 말해서.. 아니 죽을 걸 알아서 슬퍼한 건가?'

죄책감이 들었다.

-나 때문에 언니가 죽은 거야-

36

오직 그 생각만이 내 머리를 돌아다녔다.

'니 잘못이 아니야.'
그 말을 듣고 싶었다.

어둠

"왈! 하지마!"

몇 년이 지난, 어느 날이었다. 언니의 죽음을 자책하며 걷고 있었다. 인기척이 느껴져서 뒤를 돌아 봤더니 노인이 망을 들고 있었다. 짖자 노인이 나를 막대로 찌르기 시작했다. 구조대원 같지 않았다. 나는 저항을 하려 몸을 비틀었다. 그 순간이었다. 나는 그 노인에게 잡혀 좁은 철창에 들어갔다.

"왈! 뭐야!"

소리를 질렀지만 소용이 없었다.

"조용히 해. 어차피 안돼."

누가 체념한 듯 내게 말했다.

"여기가 어딘데?"

"개농장으로 가는 트럭."

"개농장이 뭔데?"

"번식장. 어차피 그냥 죽을걸. 도살장으로 가는 트럭일수도 있거든."

두려웠다.

"잡아먹힌다는 거니?"

내가 조심히 물어보자 상대 개가 낮게 으르렁거렸다.

"입 좀 닫아! 시끄럽게, 진짜."

나는 고개를 갸우뚱거렸다. 익숙한 목소리였다.

"하늘이지?"

"아, 넌 은하네?"

"..... 하나 언니가 죽었어."

주저하며 말을 꺼냈다. 하늘이는 시큰둥하게 대답했다.

"그랬겠지. 늙었는데."

기대한 답이 아니었다

"넌 왜 이렇게 매정하.."

말을 마치지 못했다. 다른 개들의 시선 때문이었다.

"조용히 해. 어차피 죽을 거 왜 떠들어?"

모두 일제히 나를 노려봤다. 나는 한숨을 쉬며 철창 구석에 웅크
려 누웠다. 모두 원망스러웠다.

"시끄러워! 자 내려라."

노인이 트럭을 멈춘 채 우리에게로 다가오고 있었다.

어둠이 다가오고 있었다.

"으악!"

눈 앞에서 개 한 마리가 처참하게 죽었다. 불에 태워지고, 전기에 감전되었다. 우리는 모두 두려웠다. 내 차례가 오지 않기만을 빌 뿐이었다.

"씨. 왜 안 죽어?"

그 노인은 모두를 죽이려는 셈이었다.

"도살장이었나 보네."

하늘이는 체념한 듯 말했다. 도살장은 무척 고요했다. 어두웠다. 그리고 썩는 냄새가 났다.

"야, 빨리 다른 놈 꺼내봐."

노인이 아들 같은 사람에게 욕을 뱉었다.

"아버지, 들키면 어떡하려고 그래요? 우리 전에도 걸렸었고요."

초조한 아들의 목소리의 노인은 화를 내기 시작했다.

"입 닫아. 재수 없게 불길한 소리를 하냐? 씨, 빨리 데려와."

아들은 뭐라 중얼거리며 내가 갇힌 철창으로 다가왔다.

'날까?'

그때 노인이 소리쳤다.

"수놈으로 데려와. 암놈은 김씨한테 팔게. 그 인간 개농장 하는데 수익이 적어서 비싸게 받는다더라."

다행히도 나는 암컷이었다. 철창 문이 열렸다. 불쑥 들어온 손은, 하늘이를 잡았다.

"....?"

하늘이는 눈에 눈물이 고인 채 웃고 있었다.

"야! 야! 씨.. 왜 하필 걔냐고! 하늘아!"

소리쳤지만 날아온 건 남자의 손찌검이었다.

"시끄러워! 들킨다고!"

나는 원망의 눈길을 보냈다.

"진짜! 마지막까지…"

하늘이는 나를 보며 피식 웃었다.

"뭘 기대한 거야? 어차피 여기선 못 살아남아. 죽는 거야."

그리고 하늘이는 불에 태워졌다. 감전되었다. 사라졌다. 죽었다.

내 눈 앞에서.

"야…. 진짜.."

나는 어이가 없어서 눈물이 나왔다.

우리가 뭘 잘못했는데 이러냐고.

우리가 무슨 해를 끼쳤길래 이러냐고.

우리를 죽이고 싶어서 환장했냐고.

도대체 왜 괴롭히는 거냐고.

견생호수

탈출을 감행했다. 하늘이의 죽음이 있고 사흘, 나는 번식장으로 가는 트럭에 탔다. 옮기는 사이, 몸을 비틀어서 빠져 나왔다.

그리고 달렸다. 계속 달리고 달렸다. 왜인지는 몰랐다. 그냥 달리고 싶었다. 계속 달렸다. 힘들어 죽을 때까지 달렸다. 정신이 몽롱해지기 시작했다.

"....?"

몇 시간이 지났을까, 나는 더 이상 도시에 있지 않았다. 시골 같이, 집은 없고, 나무와 모래가 무척 많았다. 내 눈의 호수가 보였다. 무척 맑았고, 물고기도 살고 있었다. 목이 말라서 다가갔다.

-은하-

내 이름이 들렸다. 무시하고 호수에 입을 댔다. 내 얼굴이 반사되어 보였다.

"..... 나도 많이 변했네."

말을 꺼내자 호수에 반사된 그 초라한 얼굴이, 점점 어려지기 시작했다. 나는 말을 잇지 못했다.

"나, 잖아?"

갓 태어났을 때의 모습이 보였다. 무척 작았다. 귀여웠다. 엄마가
죽고, 난 운다. 잡혀서 센터에 가자, 세 친구들은 만난다. 배우에게
입양가지만 버려지고, 그의 지인 덕분에 다시 구조된다. 언니, 하늘
이와 재회하고 같이 입양되지만, 엉뚱한 핑계로 버려진다. 그때 갈
등이 터진다. 하늘이가 먼저 시작하고, 그게 나와 언니의 싸움으로
번진다. 갈라지고 나는 남자의 집으로 간다. 상주견의 속임수 때문
에 떠돌이 생활이 돌아오고 언니를 만난다. 나는 사과하는 언니
에게 욕을 하고, 곧 그가 죽었다는 사실을 마주한다. 나는 괴로워
한다. 그러다 노인에게 잡히고, 노인은 나를 트럭에 던진다. 하늘이
를 만나고, 도살장에 도착한다. 그때 내 눈 앞에서 내 친구, 하늘이
가 죽는다. 체념한 듯, 눈물을 흘리며 웃은 채 내 앞에서 죽는다.
도망쳐 나와서 걷고 또 걷는다. 힘들어 죽기 직전, 이 곳에 도착한
다.

나는 입을 열지 못한 채 주저 앉았다. 호수를 보자 눈물이 나왔
다.

마지막 은하수

-감사했습니다.-

그 호수를 통해, 내 인생을 되돌아본 나는, 할 말이 그거 하나였다.

-감사했습니다. 죄송해요. 인생 참 짧네요. 즐길걸 그랬네요. 불평만 했어요. 못되게 굴었네요. 그래도 후회 없습니다.-

나는 밤하늘의 은하수를 보며 웃었다. 나는 눈물을 흘리며 눈을 감았다. 나는 내가 죽을 거라는 사실을 깨달았다. 3~4 살이란 젊은 나이에, 학대 받고 병에 걸려서 죽는다는 걸, 알게 되었다. 그런 와중에도, 눈물은 멈추지 않고 흘렀다.

'....감사했습니다, 이 삶을 살게 해줘서.'

눈을 뜰 수 없었다.

"어서 오렴. 보고 싶었어."

정신을 차릴 무렵, 한 목소리가 들렸다. 나는 그게 누군지 알았다. 몇 년이란 그 긴 세월 동안, 떨어져 있었지만, 기억하는 목소리였다.

"..엄마.."

엄마였다.

"그래, 그래. 아가, 이리 오렴. 응.. 보고 싶었단다."

나는 울지 않았다. 그저 웃었다. 엄마 옆에는 점박이 오빠와, 하나 언니, 우정 오빠와.. 하늘이도 있었다. 웃음이 나왔다. 웃는 내 얼굴에는, 눈물이 흘렀다. 나는 흐느끼며 나지막이 말했다.

"보고 싶었어요. 미안했어요. 잘못했어요."

은하의 이야기

"엄마.. 보고 싶었어요. 그리워 죽는 줄 알았어요."

엄마는 흐느끼는 내게 웃어주었다.

"나도 그리웠어."

나는 싱긋 웃었다.

"우정 오빠도 안녕하세요? 못 본지 진짜 오래 됐네요. 하늘이는.. 얼마 전에 만났지… 개농장에서. 그때 진짜 혈압 올랐어. 왜 발버둥 한번 안치고 죽은 거야? 웃으면서.. 체념한 채 웃지만 눈물을 흘리며 처참하게.. 진짜 무서웠어. 왜 하필이면 넌지.."

"개 농장.. 그때 죽었지.. 말했잖아. 어차피 죽을 거 알았다고. 안 무서웠어. 그래도 넌 살았지? 어쩌다 죽었어?"

"몰라.."

애써 웃는 듯 한 하늘이의 모습을 보니 울음이 터졌다. 그때 하나 언니가 보였다. 머뭇거리며 다가갔다.

"언니.. 나 때문에.. 미안해요. 잘못했어요."

언니는 싱긋 웃으며 나를 핥아주었다.

"니 잘못이 아니야."

내가 그토록 듣고 싶던 말이었다.

사
흘
이

왜 나는 이렇게 죽어야 하나요.

가족들

소리가 들렸다

"..이거.. 이거.. 곧 눈도 뜰걸?"

남자였다. 곧이어 여자의 목소리도 들렸다.

"맞네. 어? 우와, 우리 사흘이 눈 떴어요?"

나는 눈을 움찔거리며 뜨기 시작했다. 10 대 여자과 40 대 남자, 여자가 있었다. 나는 고개를 갸우뚱거리며 의아한 표정으로 쳐다봤다.

"엄마~ 진짜 귀엽다. 근데 하루, 이틀이, 사흘이, 나흘이, 닷새 중 몇 마리 키울 거에요?"

"풋, 갑자기 존댓말 하셔요? 말했지, 한 마리만 키운다고. 좁은 집에서 다 키울 수는 없잖아."

"그럼 누구?"

10 대 여자는 기뻐 보였다. 조심스러운 손이 내게로 다가왔다. 나를 집어서 올렸다.

"사흘아. 안녕? 언니는 임지수야. 지수언니. 난 너가 제일 마음에 들어. 사흘이란 이름도 이쁘고 말야. 주일이 대단하네~ 이렇게 귀여운 아가들 낳고. 고생했쪄요~"

그때 엄마가 으르렁 댔다.

"내놔."

지수 언니는 나를 내려 주었고, 나는 곧장 엄마의 품을 파고 들었다.

"진짜 어렵다, 어떡하지? 누구랑 살아?"

40 대 여자, 인간 엄마가 한숨을 쉬자, 지수 언니는 결심한 듯 주먹을 꼭 쥐었다.

"주일이가 좋아하는 애로. 난.. 사흘이가 좋지만."

나는 그 말을 듣고 기분이 좋아졌다.

"..마. 내가 좋은가 봐요."

칭얼거리자 엄마가 나를 스윽 쳐다봤다.

"그래.. 어쩔 수 없지. 지수가 좋아하니까."

중얼거리고 엄마는 나를 아끼기 시작했다. 근데 나는 그 애정이 싫었다.

'어차피 가짜인데.'

엄마는 지수 언니를 사랑해서 거짓으로 생활했을 뿐이다. 알고 있었다. 엄마는 하루를 좋아한다는 걸. 나는 그저 지수 언니를 위한, 엄마가 제일 관심 없는, 종이인형이였다.

시간이 흘러 2개월이 됐다. 집에 남을 애는 당연히 나였다.

엄마는 다른 애들이 떠날 때마다 이를 갈았다. 그리고 마지막으로 하루가 떠났을 때, 엄마는 내게 욕을 했다. 나 같은 건 쓸모 없다고. 나 같은 쓰레기는 세상에서 사라져야 한다고. 나는 자기가 유일하게 혐오하는 존재라고, 자기가 자기 아이를 혐오할 줄은 몰랐다고 엄마는 화를 냈다. 그리고 정색을 하며 나를 흘겨보았다.

"너 때문에 난 내가 제일 사랑하는 애를 떠나 보냈어. 너 같은 놈이 태어나지 않았더라면 난 하루랑 살수 있었어."

지수 언니를 행복하게 해준 엄마는 그 뒤로 내게서 손을 뗐다.

하지만 그건 오히려 언니를 괴롭혔다. 지옥이 시작됐으니.

지옥

"야! 아.. 주일아!"

언니가 한숨을 쉬며 머리를 올렸다.

"너 개춘기야? 하, 3 살에 개춘기라니. 아오, 너 왜 그래? 니 아가도 3 개월이잖아! 케어 좀 해! 엄마인 네가 해야지! 가지가지 하네."

엄마는 그런 지수 언니를 흘겨보았다.

"왜? 너 위해서 이 더러운 놈 애정 줘서 결국 키우잖아. 그거 고마워하고 조용히 해! 마음대로 노는 건 내 마음이고 참견 좀 작작해."

언니는 엄마의 말을 짖는 걸로 들었을 테다. 지수 언니는 엄마라는 것의 짖음을 반항으로 인식을 했다. 언니가 화를 냈다. 그러자 엄마가 인상을 팍 쓰며 언니를 물었다. 이 일은 벌써 23 번째. 항상 우리에게 만큼은 미소를 유지하던 언니가 엄마를 살기 가득한 눈빛으로 노려보았다. 나는 언니가 엄마를 혼낼 줄 알았다. 그게 아니었다. 지수 언니는 고개를 휙 돌렸다.

"임주일. 너 밉다.. 진짜."

엄마는 두려운 눈빛으로 지수 언니를 바라보았다.

"이제 네게 신경 꺼줄 거야. 엄마랑 아빠도 있으니까, 널 버리겠다는 건 아니고. 그냥 너는 이제 내 동생 아니라는 거야. 가족도 아니고. 너 진짜 밉상이다. 내가 뭘 그렇게 잘못했니? 칫, 내가 이딴 개한테 뭔 소리하냐?"

언니는 물린 팔을 어루만지며 방으로 들어갔다. 문이 닫히는 소리에 엄마는 두려움과 화남이 동시에 섞인 애매한 표정으로 나를 쳐다봤다.

"너 때문이야. 너 때문에 지수가.. 날 버렸어. 좋겠네. 지수 사랑 독차지하고. 계획한 거니?"

엄마는 차분하지만 화난 목소리로 허공을 멍하니 바라보며 나를 타박했다.

그때 깨달았다.

'나, 종이인형이 아니구나. 그냥 엄마라는 놈의 화풀이 대상이구나?'

나는 태어난 지 3 개월 반으로 어렸다. 그래도 나는 피식 웃었다. 엄마는 분명 내가 죄송하다며 울 줄 알았을 거다.

"왜? 내가 뭘? 내가 뭘 잘못했는데. 지수 언니가 그리 좋았으면 미래 예상하고 나 싫어하지 그랬어? 그리고 그냥 엄마가 참으면 됐잖아. 왜 언니를 물고 그래? 진짜 엄마, 유치해. 어떻게 엄마 딸이 더 의젓하지? 흥, 그냥 엄마가 철 없는 건가? 난 엄마 종이

54

인형이 아니야. 화풀이 대상도 아니고. 철 좀 들어, 엄마라는 신분의 철없는 성견아. 어이 없어라. 무슨 엄마가 왕인 줄 알아? 유치해. 재미 없다고. 그니까 시답잖은 짓들은 그만해."

엄마는 당황한 표정을 지었다.

"얘야? 철 없는 건 너 같다. 참, 어이 없게도, 니 엄마가 너 죽이고 싶은데?"

엄마는 나에게 성큼 성큼 다가오며 짖었다. 그때였다.

"야 임주일! 너 사흘이에게서 떨어져!"

인간 아빠, 즉 지수 아빠가 엄마에게 버럭 소리를 질렀다.

엄마는 고개를 획 돌렸다. 그리고 애원하듯 얼굴을 인간 아빠 다리에 문질렀다. 엄마가 유일하게 두려워하는 존재는 지수 아빠였다. 나는 그것을 놓치지 않고 있는 힘껏 낑낑거렸다. 그러자 지수 아빠는 엄마를 다리에서 떼어냈다.

"아빠?"

엄마가 옅은 신음을 내며 지수 아빠를 빤히 쳐다보았다.

"주일아, 왜 이리 변했니? 몇 번째야? 우리 지수 오늘 물린 게 몇 번째인 줄 알아? 매번 이래서 이제는 병원 같은데도 안가고 집에서 약 바르잖아. 그리고 왜 갑자기 사흘이 싫어하니? 니가 좋아해서 애 키우잖아. 이렇게 무책임하면 어떡해? 사람을 죽인 맹수가 어떻게 되는지 알아? 안락사 당해. 죽는다고. 넌 이해 안되겠지만, 우리의 안전을 위해서 널 보호소로 보낼 거야. 내일. 알겠니? 이제는 더 이상 우리 지수에게 화풀이 따위 못한다고!"

지수 아빠는 단호하게 말했다.

나는 똑똑히 보았다. 허망함과 두려움, 경멸이 공존하는 엄마의 모습을. 그게 내가 기억하는 엄마의 마지막, 모습이었다.

오해의 실수

"........."

지수 언니는 내 배를 쓰다듬으며 중얼거렸다.

"나는 이제껏 한번도 내 반려견을 보낸 적이 없었는데. 주일이를 버렸어."

언니는 무척 슬퍼 보였다. 언니는 한숨을 푹 한번 쉬고는 나를 보더니 들어올렸다.

"넌 안돼. 널 보낼 순 없어. 너는 꼭 키울 거야. 그래서… 중성화를 해야 해. 미안.. 사흘아."

나는 그때 중성화가 무엇인지 몰랐다. 내 중성화 예정은 내가 10개월이 되는 때였다.

"사랑해, 사흘아.. 미안해.."

하염없이 같은 말만 하는 언니를 의아하게 생각하며 뭣 모른 채 소리쳤다.

"걱정 마, 언니. 나는 누구와 다른 멋진 엄마가 될 거야."

이런 내 생각은 내 인생을 바꿔 버렸다.

내게 만일 선택지가 있었다면, 그때로 돌아 갈수 있다면.. 나는 같은 선택을 했을까? 아이들을 낳았을까? 그냥 지수와 변함없이 살았을까?

나는 아이들을 낳았을 것이다.

보호소 생활

"임신입니다. 7, 8 마리 정도 있는 것 같네요."
친한 수의사 선생님이 말했다.
"중성화 예정까지 조금 남았는데.. 음.."
수의사의 말에 모두의 표정이 굳었다.
"예. 음.. 예, 예."
나를 켄넬에 넣은 후 집에 돌아갔다.

집 안 분위기는 심각했다.
"그냥 다 보내면 되잖아요."
지수언니의 말에 아빠는 인상을 찌푸렸다.
"입양.. 그건 그렇지만… 그것도 원활하게 잘 안되는 거 알잖니.
하루, 이틀이, 나흘이, 닷새."
"그렇다고 애를 보호소에 보내요? 미쳤어요?"

"지수야! 말 함부로 하지마. 우리도 감당하기 힘든 거 알잖아! 중 3이나 돼서 이런 것도 이해 못해줘?"

"중 3이니 더 옳은 생각을 하는 거잖아요. 아빠는 40살이 넘어서까지 이렇게 멍청하게 생각해요?"

모두들 흥분을 했다.

"야, 지수야. 어쩔 수 없잖아!"

"엄마는 뭐! 얘 보내면 딴 애 입양 할거지? 얘 보호소 보내면 다 끝이야. 절대로 다른 개 입양 안 해."

두려웠다. 언니가 제일 화나 있었다.

"..럼 보내는 거다."

잠결에 아빠 목소리가 들렸다.

잠에서 막 깼을 때 언니는 울고 있었다.

"어차피 아무리 말해도 나이 많은 사람들이 결정하잖아요."

언니는 중얼거리며 방으로 들어갔다.

"우리 이쁜 사흘이! 바다 가자!"

인간 엄마가 웃으며 말했다. 나는 헤벌쭉 웃었다.

"바다 좋지!"

우리는 4시간에 걸쳐 바다에 갔다. 사진도 찍고 같이 놀고 즐거웠다. 언니는 웃으며 나와 바다에서 수영을 했다. 즐겁게 노는데도 언니는 뭔가 슬퍼 보였다.

집으로 가는 줄 알았는데, 아니었다. 보호소로 가는 거였다. 나는 배신감에 모두를 노려보았다.

"미워."

언니는 화난 내 눈을 보며 울기 시작했다.

"몇 달 밖에 함께하지 못해서 미안해. 이곳에 보내서 미안해. 사랑해, 미안해."

나는 언니를 물끄러미 쳐다보았다.

"나빴어."

우는 언니 뒤에는 두 어른이 서 있었다.

"나쁜 자식들. 너희 마저 나를 이용해?"

나는 언니는 용서했지만. 두 어른들은 용서하지 못했다.

보호소 생활은 답답했다. 그래서 산책 날 하네스를 풀고 도망쳐 나왔다. 멀리 멀리 걸어다녔다. 안전한 곳에 도착 할 때 까지.

7 마리 아이들

새끼 7 마리를 낳았다. 점박이 두 마리, 검둥이 세 마리, 흰둥이 한 마리, 누렁이 한 마리. 무척 귀여웠다.

그 중 내가 가장 아끼는 애는 눈이 별처럼 빛나는 점박이였다.

하지만 나는 엄마와 같은 부류의 개가 되는 것을 막기 위해 그 생각을 참았다. 모두를 똑같이 예뻐해 주었고, 모두를 행복하게 해 주기 위해 노력을 했다. 늘 최고의 엄마가 되고 싶었던 걸까?

어느 날, 나는 아이들에게 내 과거를 들려주었다.

"엄만… 주인이 있었단다. 허나 내가 너희들을 임신하면서 나를 박스에다 버렸어. 돈 아깝다고. 차라리 잘 된 일이야. 그 동안 그 집에서 살면서 무척 힘들었거든. 아가들아, 너희들은 인간들에게 입양 당하지 말아라. 그들은 마음대로 우리 가족을 따로 입양 보낼 거란다, 억지로. 입양 되도 버리는 건 순식간이야. 그리고 중성화라는 수술도 시키지. 우리 번식을 막는 거야. 알겠니?"

실수였다. 진짜로 실수였다. 내 인생은 이러지 않았었는데. 진실은 따로 있었는데.

말하고 싶었다.

나는 그 집에서 무척 행복했었다고. 나는 박스에다 버려진 것이 아니라 보호소로 보내졌던 것이라고. 내 잘못으로 보호소에 간 거라고. 중성화는 나쁜 게 아니라고. 사람들, 지수 언니 같은 사람들에게 입양 가라고.

그렇게 말하고 싶었다. 그런데 왜 입이 떨어지지 않았을까? 왜? 도대체.. 왜..

견생호수

분명히 나는 아이들을 위해 음식을 구해 오고 있었다.

"……?"

트럭이 내 바로 옆에 있었다. 뭔가 이상했다. 모든 게.. 멈춰있었다. 나는 눈앞에 놀란 표정을 짓는 애들을 바라보았다.

"..점박아? 흰둥아!"

무슨 일인지 알아내야 했다. 애들을 핥아 준 뒤, 걷기 시작했다.

알아야 했다. 이곳만 멈춰있는지. 모든 곳이 멈춰있는지. 그리고 왜인지. 나는 멀리 얼어있는 애들을 쳐다보았다.

"꼭.. 살릴 거야."

계속 걸었다. 알아냈다. 전세계가 멈춰 있는 듯 했다. 건물의 시계를 보았다. 시간은 흐르지 않았다. 이유를 알아내고 해결해야만 했다.

"근데.. 왜 나만?"

의문이 들었지만 걸었다. 발이 까질 때 까지.

".....? 뭐지? 왜 여기 호수가 있어?"

시골 어느 곳에 호수가 보였다. 무시하고 걸으려 했지만, 무언가 나를 호수로 이끌었다. 호수로 다가갔다.

"......!"

나다. 호수에 반사된 내가 보인다. 무척 어린데, 엄마의 종이인형 이다. 피식 웃음이 나왔다.

"쓰레기. 지금쯤 죽었겠지."

엄마는 지수를 괴롭히고 지수 언니는 엄마를 버리고 말 거라는 말을 뱉는다. 엄마는 화풀이 대상인 내게 화를 내지만, 나는 처음으로 그런 엄마에게 반항을 한다. 엄마는 나를 죽이려 하다 버려진다. 내 중성화 예정일이 잡히지만 그 전에 내가 임신을 한다. 더 이상의 개들을 감당하기 힘들었던 지수 가족, 아니 언니는 울면서 나를 보호소에 보낸다. 보호소에서 도망치고 아이를 7 마리 낳는다. 내 과거를 숨기고 같이 살아간다. 그러다.. 트럭에 치이고 만다.

웃었다.

"내 인생.. 별거 아니었네."

하루 이틀 사흘, 인생

깨달았다. 나 교통사고로 죽는구나. 이거 보라고 세상이 멈췄구나.
피식, 웃었다.

"뭐야… 진짜.. 별거 아니잖아..?"

눈물이 나왔다.

"왜..! 왜 벌써.. 1 살 겨우 넘은 이 나이에..! 왜 죽나요. 잘 살아왔
는데.. 이렇게 짧게요? 지수랑 살걸 그랬나 봐요. 애들 낳지 말걸
그랬나 봐요. 어떻게든 애들은 지킬 거라고 약속했는데.. 애기들은
어떻게 살라고 날 죽여..! 너무해.."

나는 주저 앉은 채 울기 시작했다. 할말이 고작 하나였다.

"왜!"

모든 순간들이 원망되었다. 나는 체념한 채 터벅터벅 걷기 시작
했다. 트럭까지. 트럭 앞에 도착해서 아까 그 자세로 섰다. 눈물이
새어 나오는 걸 참았다. 아까와 같아야 하니까.

"왜 나는 이런 인생을 살아야만 했나요?"

세상이 다시 움직이고 나는 사라졌다.

내가 간 그 곳에는 아무도 기다리고 있지 않았다. 외로웠다. 그래서 선택했다. 내가 기다리겠다고. 나의 애들은 외롭지 않게 기다려 줄 거라고, 나는 굳게 다짐했다.

사흘이의 이야기

"보고 싶었어."

나는 다가오는 검둥이에게 속삭였다.

"보고 싶었어요.. 엄마."

나는 웃어주었다.

"기다렸단다. 잘 살았니?"

모든 아이들은 차례차례 죽음을 맞았고, 그 네 번째가 내가 아끼던 점박이였다.

"보고 싶었어요. 미안했어요. 잘못했어요."

그 애는 흐느끼며 말했고, 나는 말 없이 점박이를 안아주었다.

"어서 와. 보고 싶었어."

그 애, 은하라고 이름이 생긴 그 애는 나를 기쁘게 해주었다. 희망을 주었다.

'내가 무척 사랑했던 애들이 돌아올 수 있다는 것을'

나는 늘 기다렸다. 내 남은 아이들과 지수언니가 그곳에 오는 것을. 나는 남은 그들을 위로하고 맞이해 줄 거라고, 약속했다.

하늘이

어쩌면 내가 원했던 것은 단 한번의
행복이었을지도.

태어난 곳, 학대를 받으며

"으..야! 으으.."

그 자식은 싸이코패스였다.

"죽어버려, 씨."

그 자식은 늘 만취 상태였고, 늘 나와 엄마를 때렸다.

"씨, 이 망할 인생. 씨."

그 자식은 욕을 해대며 우리에게 화를 풀었다. 어느 날, 엄마는 사라졌다. 그러자 내게 오는 폭력은 더 심해져 갔다.

"그만해요!"

나는 살기 위해 소리쳤고, 그 자식을 물었다. 하지만 내가 몸부림을 치면 칠수록 그 남자의 폭력은 더욱 심해졌다.

"그만.. 살려줘!"

네 달 간, 그 자식의 집에서 생활했다.

"여기, 여기에요!"

한 여자의 목소리가 들리며, 문이 덜컥 열렸다. 그 남자는 혼란스러워 하며 문을 닫으려 했고, 한 아줌마가 내게로 긴급히 달려왔다.

"어떡하니, 어떡해. 이 봐요? 뭔 짓이에요 이게? 어머, 야.. 이봐요, 따라오세요."

그 아줌마는 피투성이인 나를 들어 올리며 토닥여 주었다. 나는 케이지에 들어갔고, 케이지는 자동차에 들어갔다. 나는 곧 병원에 갔으며, 여러 명의 사람들이 커다란 카메라로 찍기 시작했다.

"세상에나. 와, 너무 심한데요? 그래도 부러진 뼈는 없고요. 그냥 미세골절 한군데랑 타박상 여러 군데 정도. 한 달이면 많이 호전될 거에요. 문제는 애 엄마. 죽은 걸로 예상되네요. 그 학대범한테.."

의사는 심각한 표정으로 말했고, 나는 한달 가량 병원에서 지냈다.

유기견 센터

5개월이 됐을 때, 나는 어느 유기견 센터에 갔다.

"안녕? 난 하나라고 해. 나이는 꽤 있고."

"네."

나는 이곳 개들과 사람들이 나를 괴롭힐까 봐 두려웠다.

"이쪽은 우정 오빠!"

친절해서 그런지, 나는 금세 경계를 누그러뜨렸다.

어느 날이었다. 우리 칸에 샛별이라는 동갑내기가 들어왔다.

"안녕하세요?"

그 애는 웃으며 인사를 했다. 며칠도 되지 않아, 샛별이는 입양을 갔다. 윤지라는 소녀에게. 부러웠고, 나는 매일 생각했다.

'왜 나는 입양이 되지 않을까?'

8 개월이 되었을 때 쯤, 은하라는 애가 우리 칸에 들어왔다. 어리숙해 보이는 게 어린 것 같았다. 그래서 나이 많은 척을 해봤다. 바로 하나 누나에게 맞았지만.

함께하던 우정 형도 입양을 가고, 은하도 입양을 갔다.

왠지 허무했다. 나만 입양을 가지 않는 다는 것이.

몇 달이 지나고, 우정 형은 돌아오지 않았지만, 은하는 돌아왔다. 기쁜 표정으로. 다친 다리와 함께. 그 애는 웃으면서 우리에게 인사를 걸었고, 나는 일부러 모른 척을 했다.

우리 셋, 나와 은하 그리고 하나 누나는 한 집에 입양을 갔다. 그러나 바로 버려졌다.

"왜 나는 괜찮지?"

멍한 은하의 모습에 화가 났다. 그래서 쏘아 붙이기 시작했다.

"넌 몰라서 그래. 좋은 인간도 많다고. 근데 왜 난 항상 이럴까? 나쁜 놈들만 만날까? 가족이 생기고 싶어. 넌 모르겠지, 애초에 가족 없이 태어났잖아. 우리 둘은 태어났을 때부터 인간 집에서 살았어. 넌, 그깟 박스에서 태어났잖아?"

그 말은 하면 안 됐었다.

은하

하나 누나는 내 말에 맞장구를 쳐주었다. 그러자 은하는 상처를 입은 듯한 표정을 띠며 화를 내기 시작했다.

"그깟 박스? 가족이 없었다고? 나 가족 있었어. 근데 인간들이 다 망쳤어. 내 인생을! 나는 가족들과 헤어지기 싫었다고! 그리고, 그깟 박스라니. 우리 엄마가 구해준 건데. 죽은 우리 엄마가. 너희의 마음을 생각하라고? 그럼 제발 나도 이해해주라."

왠지 부탁을 하는 듯한 그 모습에 나는 사과를 하려고 했다.

"싫어."

갑자기 하나 누나가 으르렁거렸다. 그리고 은하가 물렸다. 은하는 한숨을 쉬면서 누나를 물어뜯기 시작했다.

옆 칸의 다른 개들은 수군거렸다. 모두 은하의 잘못이라며 떠들기 시작했다. 그 소리들을 들은 걸까. 은하의 눈에 눈물이 고였다. 그 애는 체념한 듯 내게로 다가왔다. 그리고 나를 물었다.

내 다리에서 피가 흘렀고 은하는 울고 있었다. 소란에 아줌마가 들어왔고, 은하는 소리쳤다.

"왜 나한테만 그러냐고. 니들이 먼저 시작했다고 말해-!"

결국 우리는 분리되었다.

왠지 미안했다.

'나 때문에 모든 일들을 일어난 것 같아서.'

하나 누나도 후회를 하는 것 같았다. 누나는 결심한 듯 누군가에게 입양을 갔다. 나는 유기견 센터에서 몰래 나왔다.

그것이 또 다시 만남을 불러냈다.

도살장으로

　매캐한 냄새가 풍기는 한 노인이 나를 쇠 같은 줄로 잡았다. 그 노인을 보니 떠올랐다.

　'그 자식'이.

　왠지 내가 탄 트럭이 어디로 가는지 알 것 같았다. 도살장이나 개농장으로.

　한 애가 들어오며 짖기 시작했다.

　"조용히 해."

　나는 매정하게 말했다.

　"하늘이지?"

　은하였다. 은하는 이곳이 어딘지 물어봤고, 나는 개농장이나 도살장으로 가는 트럭이라 말했다.

　"하나 언니가 죽었어."

　은하는 머뭇거리며 말을 꺼냈다. 당황스러웠다.

　"죽었겠지. 늙었는데."

　나는 매정한 척 딱 잘라 말했고, 은하는 원망의 눈길을 보냈다.

트럭은 도살장에 도착을 했다. 그 노인.. 그 자식.. 그 노인이 개들을 태우기 시작했다. 우리 케이지가 열리기 시작했다. 두려웠다. 빌었다.

은하랑 나는 아니길. 우리가 죽기 전에 이곳이 발각되길.

헛된 꿈이었을까. 노인의 아들이 나를 집어들었다.

"야! 야! 씨.. 왜 하필 걔냐고! 하늘아!"

은하가 소리를 지르기 시작했지만, 그 남자는 은하를 때렸다.

"시끄러워! 들킨다고!"

은하는 내게 원망의 눈길을 보냈다.

"진짜! 마지막까지…"

눈물이 나오는 것을 참으려고 했다. 그래서 은하를 보며 피식 웃었다.

"뭘 기대한 거야? 어차피 여기선 못 살아남아. 죽는거야."

마음에도 없는 그런 소리를 해 버렸다.

견생호수

내 운명이 원망스러웠다.
'왜 나는 이렇게 죽어야 하는데.'
눈이 흐릿해지며 무언가 보였다. 시골. 맑은 물. 호수. 그 사이로 내 인생이 보였다.

싸이코패스에게 키워지다가 구조된 나는 유기견 센터로 간다. 하나 누나와 우정 형을 만나고, 하늘이라는 이름이 붙여진다. 은하 라는 예쁜 강아지가 우리 칸에 들어오고, 나는 괜히 심술을 부린다. 같이 입양되지만 버려지고, 해맑은 은하를 보며 나도 모르게 화를 낸다. 큰 싸움으로 번져버리고 헤어진다. 몇 년이 지나 도살장 트럭 에서 만나게 되고, 나는 죽는다. 죽는다.. 이리 처참하게. 최악의 경 우인 도살장에서, 하필이면 내가. 이곳 사람들이 오히려 그 싸이코 패스 보다 나쁠 수 있다는 생각이 들었다.

'나 은하 좋아하구나.'

피식 웃음이 새어 나왔다. 그래서 빌기 시작했다.

다시 만나면 좋겠다고.

그 노인은 나를 태우기 시작했고, 불 사이로 우는 은하가 보였다.

"왜.. 도대체 왜 그러냐고! 우리가 뭘 잘못했길래!"

은하는 마치 모든 이들이 원망된다는 듯한, 경멸이 섞인 말투로 소리쳤다.

"또 보자."

애써 웃으며 중얼거렸다.

눈이 완전히 흐릿해졌고, 나는 어느새 사라져 있었다.

'왜 나는 이렇게 죽어야만 했나요. 왜 나는 이런가요?'

나는 진심으로 내 인생을 원망했다.

하늘이의 이야기

엄마가 있었다. 엄마가. 죽었던 엄마가. 역시 엄마는 그 미친놈에게 맞아 죽은거였다. 엄마와의 인사를 나누고, 나는 기다렸다. 은하를.

'또 보자' 라는 내 마지막 말이 이루어지기를 빌고 기다렸다.

은하는 내가 죽고 얼마 안되어 나타났다.

"하늘이는.. 얼마 전에 만났지… 개농장에서. 그때 진짜 혈압 올랐어. 왜 발버둥 한번 안치고 죽은 거야? 웃으면서.. 체념한 채 웃지만 눈물을 흘리며 처참하게.. 진짜 무서웠어. 왜 하필이면 넌 지.."

은하는 한숨을 쉬며 말했다.

"개 농장.. 그때 죽었지.. 말했잖아. 어차피 죽을 거 알았다고. 안 무서웠어. 그래도 넌 살았지? 어쩌다 죽었어?"

나는 애써 웃으며 대답했고, 은하는 울기 시작했다.

어쩌면 내가 현생에서 원했던 게 이런 게 아니었을까? 다 같이 함께하는 것. 은하와 함께하는 것.

나는 그저 단 한번이라도 행복하고 싶었을 뿐이었다.

하
나

꽃이라는 이름과 함께.

엄마

내 엄마는 무척 예쁜 갈색 빛의 개였다.

나는 엄마와 다르게 검은색이었다. 마음에 들지 않았다. 나도 엄마처럼 은은한 갈색 이였다면 얼마나 좋았을까, 하고 생각했다.

나는 엄마와 함께 현우 오빠 집에서 살았다.

엄마는 그 누구보다 나를 아껴 주었다. 현우 오빠와 현우의 엄마, 아빠가 나를 케어하는 것도 가능했지만 엄마는 내 딸은 자기만 건드릴 수 있다며 윽박을 질러댔다.

나도 형제가 있었다. 엄마가 대형견이기에 총 5 명의 형제가 더 있었다. 콩이, 꼬미, 몽이, 조이, 달이.

모두 입양을 가버렸기에, 엄마는 내가 갈까 봐 두려웠을 것이다. 나마저도 잃으면 자기는 자식 잃은 부모가 되니까. 그래도 그 애정이 싫지 않았다. 엄마는 다른 애들을 있었어도 나를 사랑해주었을 거라고, 알았고 믿었기 때문이다.

그런 엄마는 오래 살 줄 알았다. 근데 아니었다. 나보다 빨리 갔다. 엄마는 교통사고로 죽었다. 두 눈으로 똑똑히 목격했다. 내가 어느 정도 자라서 산책을 가고 있었다. 귀여운 엄마와 나의 모습은 사람들의 관심을 끌었다.

"무슨 종이에요?"

한 여자가 엄마를 힐끔힐끔 쳐다보며 물었고, 현우 오빠는 기분 나빠하며 고개를 휙 돌렸다. 그게 문제였다.

현우 오빠는 실수로 줄을 놓쳐 버렸다. 나는 곧 눈치채고 길을 멈췄지만, 엄마는 아무것도 모른 채 촐랑촐랑 뛰어갔다.

"야! 봄아!"

현우 오빠는 다급하게 뛰기 시작했고, 엄마는 술래잡기로 인식했는지 더 빠르게 달리기 시작했다.

"엄마! 멈춰요!"

나는 소리를 질렀다.

콱.

달리던 엄마가 앞으로 푹 고꾸라졌고, 지나오던 승용차의 타이어에선 피가 흘렀다. 현우 오빠는 실성을 해버렸다.

"봄아! 야! 야! 멍청하게 왜 뛰어, 그니까! 이봐요! 나와요!"

차주인 할머니가 나왔고, 깔린 엄마를 보았다. 할머니는 기겁을 했다.

"내, 내가 죽인 거요? 어머, 어뜩해.. 어떡해.. 일단 후진 해서 뺄게요. 죄송해요."

할머니는 차를 뒤로 뺐고, 그제야 보인 엄마의 몰골은 처참했다.
미처 감지 못한 눈. 피부의 타이어 자국. 갈색 털 사이로 보이는
붉은 피.

"봄아.. 봄아. 봄아.."

현우 오빠는 중얼거리며 현우 엄마와 아빠에게 전화를 걸었다.

우리에게 많은 눈빛들이 오갔고, 곧이어 사람 엄마 아빠가 현장
에 도착했다. 현우 오빠는 죽은 엄마를 들고 있었고, 대화는 한 시
간이 넘게 이어졌다.

결국 어떻게 됐는지는 잘 모르겠다. 하지만 한 가지는 확실했다.
엄마는 죽었고 나는 부모 없는 개가 됐다. 그래서 현우 오빠와 나
머지들이 밥도 챙겨주지 않으며 멍 때리고 있는 거였겠지.

도망치고 후회하기

왜 그랬는지는 모르겠다. 무관심 때문에 힘들어서 그랬을까? 분리수거를 위해 열려있는 문으로 집을 빠져 나왔다. 그게 문제였다. 내가 그날 나가지 않았더라면, 행복하게 생활하는 것이 가능 했을 거다. 하지만 유기견 센터에서 '걔네들' 을 만나지 못했을 거다.

계속 그들과, 사람들과 함께하던 나는 바보같이 빠져 나와 길거리 생활을 하게 되었다. 음식을 구하는 것도, 잠자리를 구하는 것도 모두 내게는 어려운 일이었다.

집으로 돌아가고 싶어 미칠 것 같았다. 근데 불가능했다. 길을 잃어서. 아직 어렸기에 이름만 적힌 이름표 밖에 없었고, 그 사람들, 엄마를 잃은 그 사람들이 날 찾기 위해 노력할 이유는 없었다.

그래서 후회가 몰려왔다. 그래서 내 행동이 멍청하다고 느껴졌다.

어차피 집에는 돌아갈 길이 없었다. 그래서 그냥 더 걸었다. 아예 새로운 곳에 갈 때까지. 아예 다른 곳에 도착할 때까지.

오히려 그게 엄마에게 좋을 것 같았다. 죽은 엄마에게. 그 사람들은 엄마를 그리워할 것이고, 나도 엄마를 그리워하며 여행을 할 것이었으니까.

그래도 후회가 가득했던 건 어쩔 수 없는 건가?

유기견 센터

얼마나 걸었을까. 무척 먼 곳까지 걸어 다녔다. 배가 고팠는데, 이상한 울타리 안에서 고기 냄새가 났다.

"크왕!"

바로 달려갔다. 문이 쾅 닫혔고, 나는 동물 병원에 가게 되었다.

"뭐야?"

두려웠다. 병원에서는 내가 한살 이라고 했다. 한살.. 그렇게 많이 살았나?

유기견 센터에 가는 트럭에 탔고, 내가 들어간 칸에는 우정 오빠, 루하 언니, 소울이가 있었다.

소울이. 이름도 영혼이라는 뜻이고, 약간 재수없었다. 뭐랄까, 잘 난척하는 애? 나랑 동갑, 1 살 이기는 했지만, 인기가 없어도 전혀 없었다. 그래서 입양을 가지 못했다. 곧 안락사를 당했다. 루하 언니와.

반면 나는 꽤 괜찮은 애였다. 다만 털이 검은색이라는 점이 나를 입양 가지 못하게 했다.

기다리고 기다리면서, 나는 점점 우울해졌다. 그러던 어느 날이었다. 눈이 빛나는 귀여운 점박이. 그게 은하와의 첫 만남이었다.

은하는 인기가 많았지만 겸손했다. 그래서 나는 은하가 좋았다. 은하도 다른 애들처럼 입양을 갔고, 나는 외로웠다. 새로 온 하늘이 따위야 별로 상관 없었다. 걔는 그냥 그래서.

근데 은하는 금방 돌아왔다. 한두 달 만에. 은하는 기뻐 보였고, 그게 내가 은하를 싫어하게 된 결정적인 이유였다.

'버려졌는데 웃는다.'

그게 이해가 안됐다. 그래도 친절하게 대해 주려 노력을 했다.

그 뒤로 우리가 같이 입양 가고 버려졌을 때, 은하는 웃고 있었다. 하늘이도 그게 화났던 것일까. 먼저 은하에게 화를 냈다.

"나도 가족이 생기고 싶어. 넌 모르겠지, 가족 없이 태어났으니까."

하늘이 덕분에 내 마음 속 화는 점점 커지기 시작했다.

은하에게 지은 죄

나는 하늘이의 말이 맞다며 차분히 말했다. 그러자 은하는 '너마저' 하는 표정으로 나를 차갑게 노려보았다. 무서웠다.

"나도 가족 있었어. 근데 인간들이 다 망쳤어! 제발 나도 이해해주라."

은하는 한숨을 쉬며 말했다. 나는 사과를 하고 싶었다. 근데 입이 떨어지지를 않았다.

"싫어."

나 같은 거는 자존심이 세도 너무 셌다. 마음에도 없는 그런 소리를 하며, 마음에도 없는 행동을 했다. 은하를 물었다.

"하아.. 이건 니들이 먼저 시작한 거야."

한숨을 쉰 은하는 나를 보며 미소를 지었다. 처음이었다. 은하가 무서웠던 게. 미소가 두려웠던 게.

은하는 마치 분노를 참지 못한 괴물처럼 날뛰기 시작했다. 그때부터 느꼈다.

'뭔가 잘못됐다.'

은하에게 죄를 지어버렸다.

"니들이 먼저 시작했다고 말하라고-!"

은하는 마지막까지 울부짖으며 우리와 헤어졌다.

하늘이는 한동안 멍한 표정을 지었다. 나는 그게 무슨 의미인지 알았다.

'내가 자초한 일이야.'

나는 하늘이를 빤히 쳐다봤다.

"니가 시작한 일.. 그렇지만.. 넌 사과를 하려 했고.. 나 같은 자존심만 센 멍청이가 모든 일을 망쳤어. 결국에는 내가 자초한 일이야."

중얼거려 보았다. 마음은 풀리지 않았고, 오히려 괴롭기만 할 뿐이었다.

"..아니지. 내가 시작했어. 결국에는 나, 그 자식과 별반 다를 게 없었어. 그 자식.. 그 자식.. 어쩌면 난 그 놈과 같은 부류일지도 몰라. 남의 생각은 존중하지 않으며, 존중 받기를 원하는 거. 잘못된 생각이었어."

하늘이는 나처럼 중얼거렸다. 왠지 안쓰러워 보였다.

"아니. 내가 결국은 일을 크게 만든 거야. 내 잘못.. 자존심 따윈, 없었으면… 내가 그랬으니, 결국 내가 해결해야겠지.."

나는 웃으며 말했지만, 그 속은 슬픔으로 가득 차 있었다.

그 때. 그 때 내가 은하에게 사과를 했더라면, 용서를 구했다면..
우리의 상황은 달라질 수 있었을까? 그게 궁금했다. 내가 자존심
따위는 버리고, 웃으며 사과를 청했다면, 은하와의 마지막 만남이,
우리의 운명이 달라졌을까?

내가 만약 시간을 되돌리는 능력이 있었더라면. 그랬다면.. 나는
두 번 다시 멍청하게 굴지 않았을 것이다. 은하에게 사과를 하고,
용서를 구하고, 다시 평소대로 지냈을 것이다. 그게 내가 진정 바랐
던 것이기 때문에.

끝없는 후회

"...."

입양을 갔다. 가고 싶었던 게 아니었다. 사람의 집이라면 더 쉽게 탈출할 수 있을 거라고 생각했다.

"하나? 예뻐라. 제 친구도 하나라는 개를 키웠는데 그 개의 어미가 교통사고로 죽자 탈출했다고 그러더라고요. 검은색인.. 어? 뭐야, 얘가 그 하나.. 아, 아니에요. 거기가 여기서 몇 킬로미터인데. 예. 예, 얘로 데리고 갈게요."

한 남자가 말했고, 나는 그 사람이 떠올랐다. 현우 오빠.

'그냥 입양 가서 현우 오빠일수도 있는 사람을 만날까?

그런 생각이 들기도 했다. 하지만 나는 아직 끝내지 못한 일이 있었다. 은하에게 사과를 하는 것. 용서를 구하는 것.

나는 산책하는 순간을 노렸다. 마치 예전에 엄마처럼, 갑자기 힘을 주어 줄을 인간의 손에서 빼냈다. 그리고 도망쳤다. 나는 코를

땅에 박고 냄새를 맡기 시작했다. 기억을 하려 했다. 은하의 냄새를. 은하의 미소를. 다리의 힘이 풀리기 시작할 때 쯤, 그 애의 냄새가 강해졌다.

'은하다.'

내 눈에는 어느 순간 점박이의 뒷모습이 보였고, 나는 그게 은하라고 확신을 했다.

"..안녕. 오랜만이네. 그때.. 이후로."

나는 주저하며 그 애에게 말을 건넸다. 돌아온 건 은하의 막말이었다.

"..언니네. 죽은 줄만 알았는데, 용케 살아있었네."

"넌.. 만나자마자 그렇게 말하니? 너무하다. 그렇게 생각 안 했는데."

은하는 나를 노려봤다.

"뭐? 나 참, 웃기네."

나는 얼굴을 슥 돌렸다. 두려웠다.

"그게.. 있잖아.."

은하는 비꼬는 투로 내 말에 답했다..

"그래, 미안하다고? 사과하고 싶다고? 해봐, 해 보라고. 난 어차피 그때 아무 타격도 안 받았어. 내가 언니인줄 알아? 언니처럼 슬퍼서 빌빌 안 거려. 그리고 사과해 봤자 안 받아. 내가 왜 언니랑 다시 친해져야 하는지, 너무너무 궁금한대?"

나는 은하를 괜히 한번, 훑어보았다.

".. 그래. 네가 맞아. 미안해. 그때 나, 흥분했나 봐. 분리되고 후회됐는데, 만날 일이 없더라. 그러다 니가 입양 간다는 소식을 들었어. 너 버려질 거 알고 나도 사고 쳐서 버려졌어. 몇 주 동안 네 냄새를 찾아 다녔고. 이렇게 힘들게 널 찾았어. 내 사과를 받아 줄래?"

자존심이라는 그것 때문에. 자존심이라는 내 안의 멍청한 것 때문에, 쓸데없이 센 자존심 때문에. 나는 또 다른 거짓말을 했다. 진실은 따로 있었는데. 나는 버려진 게 아니라 도망쳐 나온 거였는데. 은하가 버려졌다는 소식을 들어서 계획을 실행한 거였는데.

은하는 어이없다는 듯 나를 보며 피식 웃었다.

"언니한테 사과는, 이딴 식으로 짜증나게, 기분 상하게 하는 거야? 멋지다. 그건 그렇구요, 왜 짜증난다는 듯 훑어보니? 그것도 기분 나쁘네. 이용하려? 아이구, 그랬어요? 근데 이를 어째? 난 언니같은 하등 생물 따위를 용서해주고 싶지 않은데? 그니까 정말 미안 미안하지만 내 눈 앞에서 꺼져버려. 사라지라고. 기분 더러우니까."

무척 싸늘한 은하를 보니 더는 할말이 없었다. 나는 은하에게 원망의 눈길을 보냈다. 그리고 터벅터벅 걷기 시작했다.

'내 마음도 이해해 주지 그랬어.'

견생호수

이런 인생 따위, 더 이상 할 일이 없었다.

'이런 인생은 아예 살지 않는 게 나았을 수도 있는데.'

모든 내 인생의 순간들을 원망하며 걸었다. 계속 생각을 했다.

'엄마가 뛰쳐나가 죽지 않았다면 나는 현우 오빠와 살고 있었을까? 내가 기다렸다면, 현우 오빠네는 나를 케어해주었으려나.. 괜히 나왔나? 자존심 따위는 미리 없었어야 했나.. 은하에게 틱틱거리지 말걸 그랬나.'

걷다 보니, 이상하게 갑자기 나는 시골에 있었다. 그리고 호수가 있었다. 왠지 다가가기 싫었다. 왠지 내가 그것을 들여다보면 죽을 것 같았다. 살 의미는 없었지만 죽고 싶지는 않았다. 그래서 그냥 갈 길을 갔다. 갑자기 귀가 윙윙거리며 삑 소리가 났다. 아팠지만 무시했다.

'죽기는 싫은데.'

걷고 또 걸었다. 시골에서 벗어날 때까지.

내가 도착한 곳은 꽃밭이었다. 예쁜 꽃들이 가득한 그런 꽃밭.

나는 맑은 하늘을 보며 생각했다.

'내가 태어나고 싶어서 태어난 건 아니었어요.'

눈물이 나왔다. 나 왜 살았지, 살아온 게 의미가 있었나. 그래 그냥 죽자. 운명이란 것을 받아들이고.

웃으면서 다시 걸었고, 호수가 눈에 보였다. 호수에 다가가면 다가갈수록 귀의 고통이 줄어들었다. 그 호수를 들여다 보았다.

검둥이. 나다. 그 아이는 행복하게 살다 어미의 죽음으로 도망쳐 나온다. 계속 걷다 유기견 센터로 가고, 은하라는 마음에 드는 개가 생긴다. 하지만 달라서 그랬던 걸까. 나는 은하가 미워지고, 은하에게 잊혀지지 않을 상처를 남겨준다. 괴로움에 은하를 찾지만 돌아온 건 막말이다. 죽음을 예상하고 걷는다. 이곳에 올 때까지.

"맞아. 내가 태어나고 싶어서 태어난 게 아니야."

허탈한 웃음을 지었다.

하나는 꽃이랍니다

"결국은…"
나는 한숨을 쉬었다. 눈을 감았다.
"죽을 바에는 빨리.."
눈을 감자 그날이 떠올랐다.

"봄아!"
현우 오빠가 엄마를 예뻐하고, 나는 그 모습을 지켜본다.
"우리 하나~!" 니 이름 뜻이 뭔지 알아? 꽃. 꽃. 하나는
일본어로 꽃이야. 꽃아, 라고 부르기는 그러니까."

그게 내 견생 최고의 기억이었다. 웃는 현우 오빠와 엄마. 그리고
예쁨 받는 나. 다 완벽했었는데.. 내 어리석은 판단으로 모든 것이
리셋 되어버렸다.

'현우 오빠..'
눈물이 나왔다. 애써 웃었다.

"내가 태어나고 싶어서 태어난 건 아니지만, 그래도 살고 싶었어
요."
중얼거렸다.

"꽃이라는 그 이름과 함께."

하나의 이야기

"보고 싶었어요. 미안해요. 잘못했어요."

기다리고 기다리던 은하는 울먹이며 나타났다. 은하는 모두와 인사를 나누었고, 나는 조용히 그 애를 쳐다보았다.

"언니… 나 때문에.."

나를 보며 우는 은하를 핥아 주었다.

"니 잘못이 아니야."

그토록 하고 싶던 말을 꺼냈다.

'그래. 니 잘못이 아니야. 내 잘못이야.'

우는 은하에게 따뜻한 미소를 보냈다.

번

외

편

그날의 샛별이에게.

샛별이

그날 이후로 나는 행복해졌다.

나는 떠돌이였다. 방랑자. 다들 떠돌이는 불쌍하다고 생각하는데, 그건 아니다. 나는 애초에 떠돌이였기에, 그 길거리 생활이 익숙했다. 좋았다. 엄마와 형제들은 나를 사랑해주었고, 나도 그들을 사랑해 주었다.

먹이가 있었고, 나는 배가 고파서 순순히 울타리 안으로 들어갔다.

'쾅.'

문은 어김없이 닫혔고 나는 병원으로 갔다.

"건강하네요. 그리고 문제가 있다면 심장사상충이구요. 약물 치료하면 됩니다. 그리고…"

의사는 그렇게 말했다. 나는 유기견 센터로 보내졌다.

내가 간 칸에는 하나라는 언니와 우정이라는 오빠, 그리고 동갑내기 하늘이가 있었다. 5 개월. 가족들이 그리웠지만 친구들이 있었기에, 그 생각 마저도 쉽게 사라졌다. 나는 그때까지만 해도, 사람의 사랑이 좋은 지 몰랐다.

나는 유난히 예쁜 애였다. 인기가 많았으며, 나를 입양하고 싶어하는 사람들도 많았다. 하지만 내가 거부했다. 나는 모두가 싫었다. 아니, 관심이 없었고 개들과 지내고 싶었다.

"안녕하세요.."

아기였다. 3~4 살 정도의 여자애.

"엄마마 애애. 기여어. 기여어."

그 아이는 나를 가리키며 활짝 웃었다.

'.......'

나는 그 미소에 빠져 버렸고, 그 여자애에게 다가갔다.

아이가 손을 내밀었다.

"어.. 어머니! 얘 물어요!"

직원의 걱정을 무시한 채, 그 애의 손을 핥아주었다. 직원은 놀란 표정을 지었다.

"운명인가 보네요."

아이의 엄마는 나를 쓰다듬어 주었고, 나는 웃었다.

'나를 데려가 주세요.'

그 집은 천국이었다. 모두들 친절했다.

16년이라는 세월 동안 나는 그 아이, 연지를 보았다.

초등학교에 입학할 때, 그 아이는 긴장된 듯, 샛별아, 라며 나를 빤히 쳐다보았다.

6학년이 된 그 애는 약간의 반항기가 보였다. 하지만 내게만은 늘 친절했다.

중학교 입학식, 엄마는 나를 그 애의 중학교에 데리고 갔다. 나는 손을 흔드는 그 애에게 왈, 하고 짖었다.

고등학생이 된 그 애는 점점 얼굴을 보이지 않았다. 그 만큼 나도 늙었고, 점차 기억을 잃기 시작했다. 나에게 오는 걱정은 더욱 늘었지만, 관심도 늘었지만 나는 불편했다.

고3이 된 그 애는 시험을 치르게 되었다. 그 애는 쇠약한 나를 뒤돌아 보며 문 밖을 나섰다.

"연지야."

나는 문을 나서는 연지에게 소리쳤다. 연지는 나를 뒤돌아 보았다.

"미안해. 기억해줘."

연지는 내 죽음을 예상한 듯, 가늘게 떨리는 목소리로 내게 속삭였다.

그런 그 애의 모습이, 내가 볼 수 있는 마지막이었다.

나는 기다렸다. 연지의 밝은 미소를 한번이라도 더 보길 기원하면서.

작가의 말

나는 동물에 관심이 많았고, 하루 라는 강아지도 키우고 있다. 개를 키우다 보니, 유기동물들에게 관심을 가지기 시작했다. 그러던 어느 날, 나는 한 동물 티비 프로그램을 보며 한가지 궁금한 게 생겼다.

'과연 저 동물들은 길거리에서 생활하다 잡혀서, 가족들과 헤어지는 것을 원할까?'

그 프로그램을 보며, 나는 '개'의 관점에서 글을 쓰기로 마음 먹었다. 그리고 생각해냈다. 은하와 그 주변인들을. 가족과 헤어지기 싫었던 어떤 떠돌이들의 이야기를.

여전히 유기동물들의 수는 늘어나고 있다. 나는 그 점을 슬프게 생각한다. 키우기로 했으면 끝까지 책임져야 하는 것이 동물이다. '반려' 동물은 가족이다. 사고를 쳐도 사랑해 주어야 하는. 은하는 이런 동물 유기 때문에 주인이라는 것을 믿지 않는다. 여러 번 파양 당하며, 가족들과 친구들과 헤어지며, 학대를 받았기 때문이다.

은하는 어땠을까? 버려질 때 어떤 기분이였을까? 하늘이가 자신의 눈앞에서 죽어갈 때, 무슨 생각을 했을까.

사흘이는? 사흘이는 지수랑 떨어지는 것이 싫으면서도, 지수가 밉지 않았을까?

그리고 하늘이. 하늘이는 은하를 좋아한다는 사실을 깨닫고 어땠을까. 자신이 불태워 죽어 가는 게 느껴졌을 때.. 무슨 기분이었을까. 두려웠을까? 애써 덤덤한 척을 한 걸까?

하나는 배신을 하며 은하를 괴롭게 만들었을 때 심정이 어땠을까? 자신의 자존심이 왜 싫었을까?

샛별이는 윤지가 자신의 마지막을 지켜봐 주지 않아서 서운했을까? 오히려 보지 않아서 기뻤을까?

이 질문들에 대해서는 이야기를 읽으며 생각해 주기를 바란다.

처참하게 버려지고 죽은 개들에게 사과를 전하며 모든 이야기 속 개들이 결국은 행복하게 지냈기를 바라는 마음을 담아 이 글을 마친다.

오늘도 난, 글을 쓰고 하루랑 논다.

2023 년 어느 날, 하루하루

글 하루하루 (Haruharu)

시나리오 작가가 되고 싶은 작가 지망생. 보통 동물 관련된 책을 쓰려한다. 말티푸 강아지 하루를 키우고 있으며, '은하의 견생호수'가 첫 책이다. 쓰고 있는 책들로는 [불편한 학교생활], [박하/ 아홉개의 목숨] 등이 있다.